T5-ARO-504

친구야, 목욕하자!
프란체스카 체사 그림 · 크리스티나 가렐리 글 · 박향주 옮김
시공주니어

줄리아와 사라와 사비나에게 - 크리스티나 가렐리
나를 사랑하는 모든 이들에게 - 프란체스카 체사

늑대야, 이빨 좀 닦아!

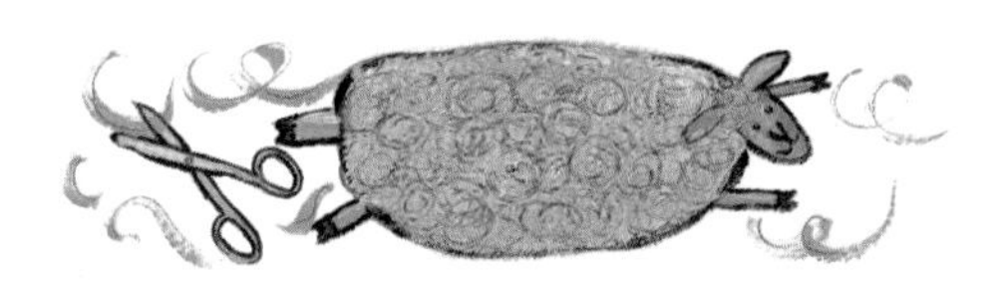

양아, 털 좀 깎아!

돼지야, 목욕 좀 해!

늑대야, 이빨 좀 닦아!

이 친구가 늑대예요.

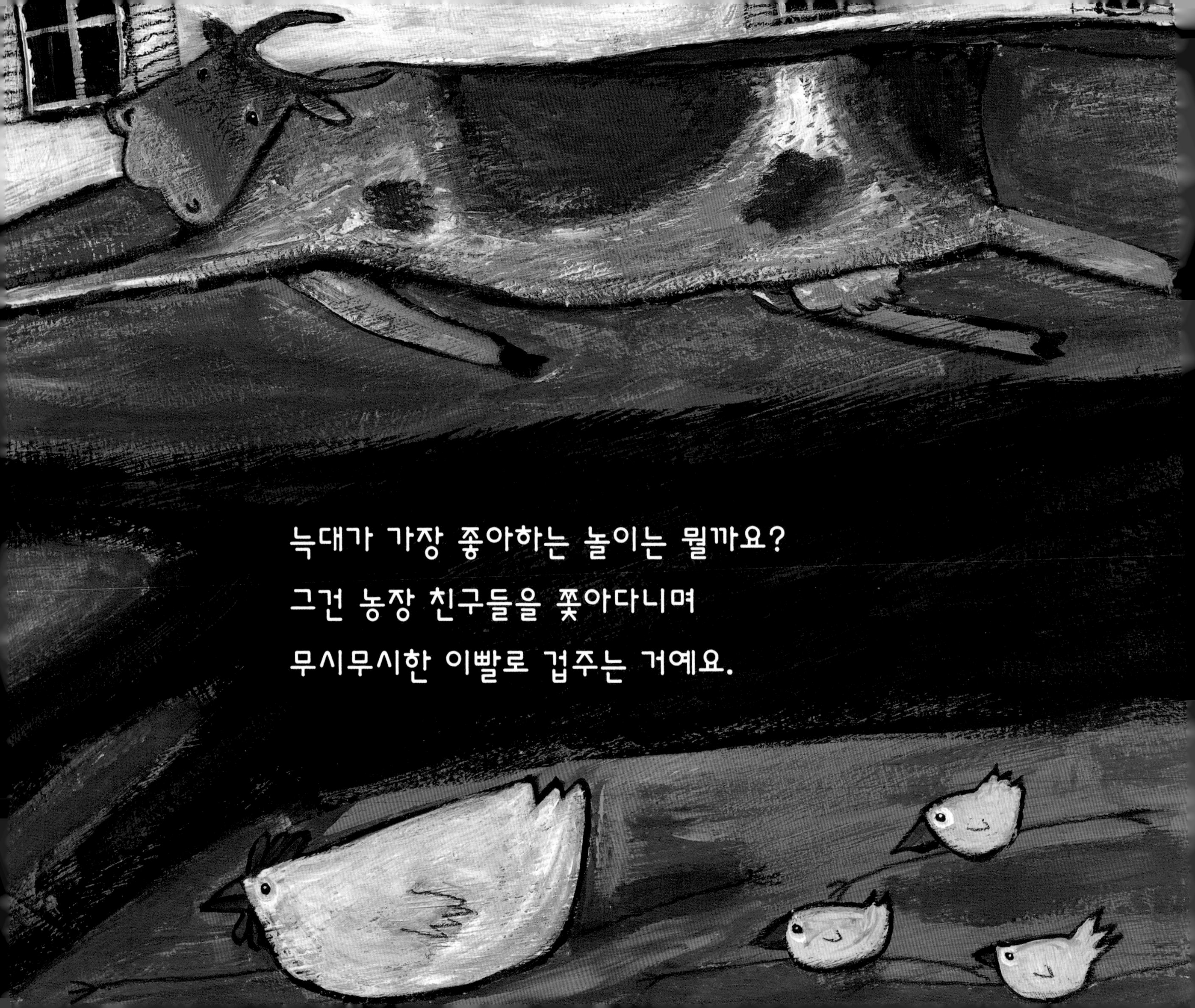

늑대가 가장 좋아하는 놀이는 뭘까요?
그건 농장 친구들을 쫓아다니며
무시무시한 이빨로 겁주는 거예요.

그런데 강아지는 도망가지 않아요.

늑대가 물었어요.

“강아지야, 넌 내가 무섭지 않아?”

“응, 하나도 안 무서워. 네 이빨이 너무 더러워서…….”

강아지가 활짝 웃었어요.
"내 이빨 좀 봐."
늑대가 물었어요.
"어떻게 하면 너처럼 깨끗해질 수 있니?"

농장 친구들이 모두 입을 모아 말했어요.
"이빨을 열심히 닦아야 해.
매일, 아래 위로 치카치카."
"여기 칫솔 있어."
"자, 치약도 있어."

“이렇게……하면……정말……깨끗해질까?”

"자, 봐! 어때? 무섭지?"

늑대는 날카로운 이빨을 드러내며 활짝 웃었어요.

"우와! 이젠 정말 무섭다.
우리 다시 놀자.
잡을 테면 잡아 봐!"

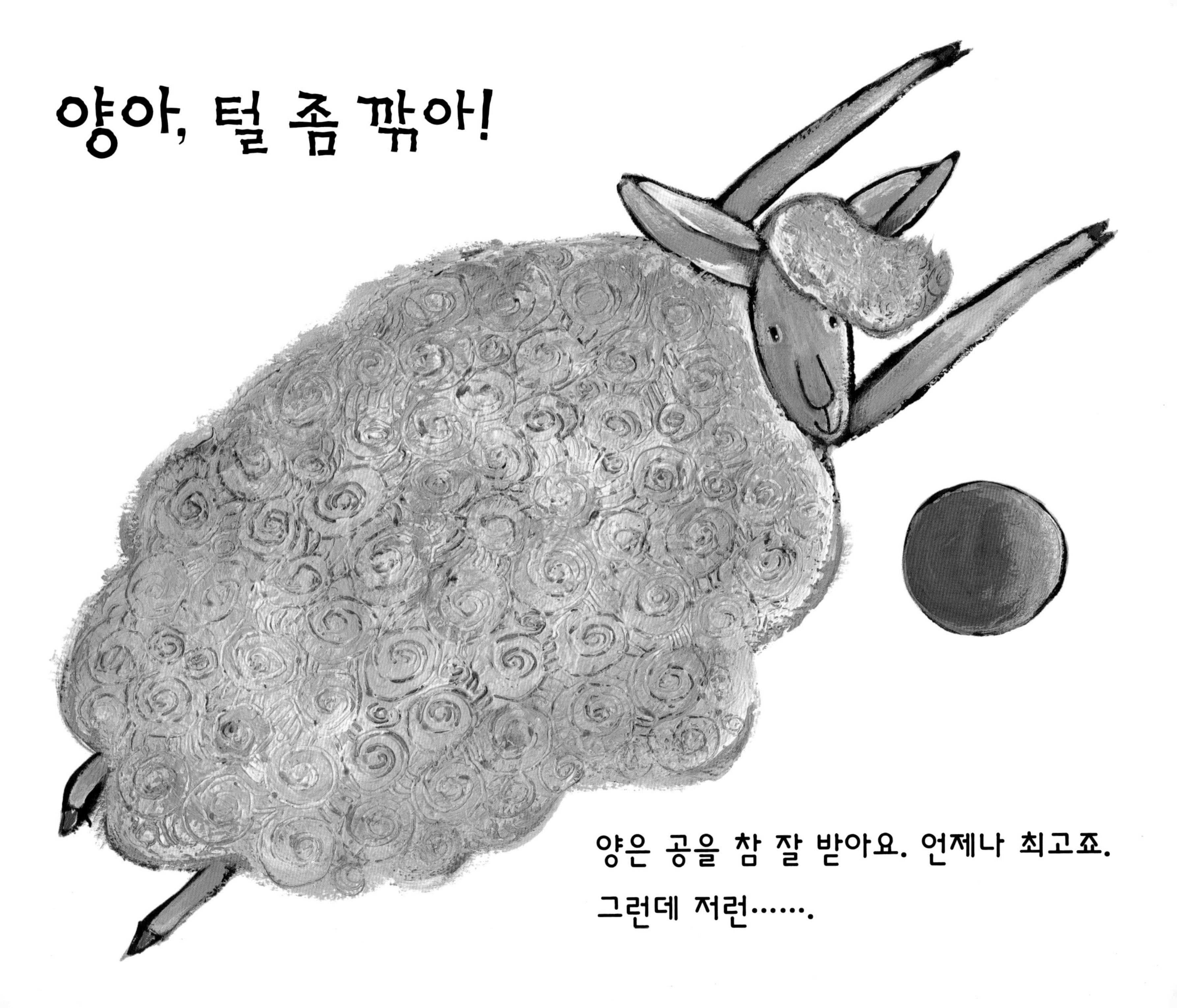

양아, 털 좀 깎아!

양은 공을 참 잘 받아요. 언제나 최고죠.

그런데 저런…….

농장 친구들이 물었어요.
“무슨 일이야?”
양이 울먹이며 대답했어요.
“내 털에 걸려 넘어졌어.
그리고
공도 잘 보이지 않아.

게다가 이번에는 울타리에
끼여 꼼짝 못해.
모두 다 털 때문이야.
오늘따라 왜 이러지?"

고양이가 물었어요.

“내가 털을 깎아 줄까?”

양이 대답했어요.
"글쎄……. 좋아, 하지만
너무 짧게 자르지 마."

고양이가 말했어요.

"자, 거울 좀 봐. 어때?"

양이 소리쳤어요.

"으악, 난 몰라!

이런 꼴로 어떻게 밖에 나가니?"

농장 친구들이 말했어요.

"양아, 근사해. 어서 나와 봐!

다들 네 모습을 좋아할 거야. 함께 공놀이하자."

염소가 말했어요.

"야, 멋있다!

이번에는 내 차례야."

"염소야, 너도 내가 멋지게 깎아 줄게."

돼지야, 목욕 좀 해!

돼지는 정말 더러워요. 농장 친구들은 돼지가 태어나서
목욕을 한 번도 안 했을 거라고 믿고 있어요.

1
2
3
4
5

돼지가 가장 좋아하는 놀이는 뭘까요?

바로 숨바꼭질이에요.

돼지는 더러운 쓰레기 더미에 숨는 걸 가장 좋아해요.

강아지가 말했어요.

“아이, 너무 더러워. 다른 곳을 찾아볼래.

난 더러운 건 딱 질색이야.”

암소가 말했어요.
“킁킁, 이게 무슨 냄새지?
더러운 쓰레기에서
나는 냄새 같구나.
점점 어두워지는데,
어서 돼지를 찾아보자.”

농장 친구들이 말했어요.

"깜깜해졌어. 도대체 돼지는 어디 간 거야.

못 찾겠다. 그만 집에 가자."

다음날, 돼지가 물었어요.

"너희들, 왜 날 쓰레기 더미에 내버려 두고 갔어?"

"네가 쓰레기 더미에 있을 줄은 몰랐어.

넌 너무 더러워.

온통 쓰레기를 뒤집어썼잖아."

“돼지야, 어때? 목욕하니까 좋지?”

박향주는 서울대학교 영어영문학과를 졸업하고 동대학원에서 영문학 석사 학위를 받았다.
옮긴 책으로는 《커다란 순무》, 《병원 소동》, 《제프리 초서의 챈티클리어와 여우》, 《부엉이와 보름달》,
《녹슨 못이 된 솔로몬》, 《내 뼈다귀야!》 들이 있다.

친구야, 목욕하자!

초판 제1쇄 발행일 2002년 1월 5일
초판 제27쇄 발행일 2015년 10월 30일
지은이 프란체스카 체사(그림), 크리스티나 가렐리(글)
옮긴이 박향주
발행인 이원주 발행처 (주)시공사
주소 137-879 서울시 서초구 사임당로 82
전화 영업 2046-2800 편집 2046-2825~8
인터넷 홈페이지 www.sigongjunior.com

ISBN 978-89-527-2335-2 77840 ISBN 978-89-527-8077-5 (세트)

이 책을 어린이와 함께 읽는 분을 위한 페이지

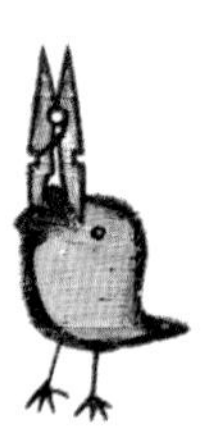

작품에 대하여

일상 생활 습관이 형성되는 시기의 아이를 둔 많은 엄마들의 고민 중 하나는 '내 아이가 잘못된 습관이 들지 않을까?' 하는 것이다. 그래서 종종 밥먹기, 화장실가기, 목욕하기, 혼자자기, 정리하기 들에서 엄마와 아이들 간에 쫓고 쫓기는 웃지 못할 풍경이 빚어지기도 한다. '목욕하기'의 경우, 물론 목욕을 좋아하는 아이도 더러 있지만, 많은 아이들이 목욕을 싫어한다. '목욕의 필요성에 대해서' 아무리 설명해 봐도 아이에게는 공염불이다. 그래서 좋아하는 장난감을 가지고 아이들을 어르기도 한다. 이렇게 갖은 방법을 찾아 동분서주하는 엄마들에게 그림책을 권하면 어떨까?

《친구야, 목욕하자!》는 양치질하기 싫어하는 아이, 이발하기 싫어하는 아이, 목욕하기 싫어하는 아이를 둔 엄마의 고민을 싹 덜어줄 그림책이다. 《친구야, 목욕하자!》에는 더러운 이빨을 자랑하는 늑대와 마구 자란 털 때문에 곤란을 겪는 양, 그리고 더러운 쓰레기 더미 속에 숨는 걸 좋아하는 지저분한 돼지의 이야기 세 토막이 즐겁게 펼쳐진다. 늑대와 양과 돼지는 모두 함께 지내는 농장 친구들의 도움으로 '몸을 깨끗이 하는 건 좋은 것'이라는 간단하면서도 매우 중요한 교훈을 얻는다. 양치질하기 싫어하는 아이는 늑대, 이발하기 싫어하는 아이는 양, 목욕하기 싫어하는 아이는 돼지, 이렇게 아이들은 화면 가득 꽉 찬 익살맞고 재미있는 그림 속 동물 친구들과 한데 섞여 한바탕 즐거운 놀이를 벌인다. 그리고 그 즐거운 놀이를 통해 아이들은 늑대, 양, 돼지 들처럼 스스로 자연스럽게 '깨끗하기'의 즐거운 교훈을 얻게 된다.

아이에게 올바른 생활 습관을 길러 주기 위해서 엄마들이 지켜야 할 가장

중요한 수칙은 절대 아이를 윽박질러서는 안 된다는 것이다. 아이가 즐거운 놀이를 통해 잘못된 습관을 자연스럽게 깨닫고 스스로 고치게끔 해 주어야 한다. 일상 생활 습관을 주제로 다룬 재미있는 그림책을 함께 읽는 것도 아이에게는 올바른 생활 습관을 길러 주는 즐거운 놀이가 될 수 있다. 《친구야, 목욕하자!》는 양치질하기 싫어하는 아이, 이발하기 싫어하는 아이, 목욕하기 싫어하는 아이에게 양치질과, 이발과, 목욕이 이제 즐거운 놀이가 되어 주는 그림책이다.

작가에 대하여

크리스티나 가렐리는 이탈리아 투린에서 태어났다. 이탈리아와 미국에서 건축가로 활동하고 있으며, 《친구야, 목욕하자!》는 가렐리의 어린이책 첫 작품이다. 세 아이의 어머니며 지금은 미국 뉴욕주 리에에서 살고 있다.

프란체스카 체사는 이탈리아 투린에서 미술과 건축을 공부하였다. 지금도 투린에서 살고 있으며, 《친구야, 목욕하자!》는 체사의 어린이책 첫 작품이다. 체사의 작품은 유럽과 일본에서 전시되기도 했다.

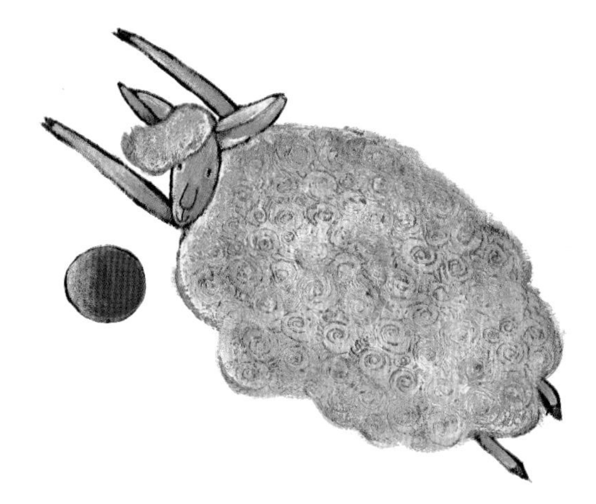

네버랜드 세계의 걸작 그림책

세계의 그림책 거장들과 우리 나라의 어린이가 네버랜드에서 만납니다! 네버랜드는
어린이와 어린이를 사랑하는 사람들이 함께 가꾸어 가는 그림책 나라입니다.
어린이에게 꿈과 희망의 날개를 달아 줄 네버랜드 그림책 세계에 여러분을 초대합니다!

이 책과 함께 보면 좋을 네버랜드 그림책 – 자신감과 독립심을 길러 주는 이야기들!

045 피터의 의자
에즈러 잭 키츠/이진영 옮김

새로 태어난 동생 때문에 엄마, 아빠의 관심 밖으로 밀려난 피터의 이야기. 자기가 쓰던 의자를 동생에게 주지 않으려는 아이의 심리가 잘 표현되어 있다.

085 물고기는 물고기야!
레오 리오니/최순희 옮김

친구 개구리의 말을 직접 확인하기 위해 물 위로 뛰어오른 물고기. 그 물고기가 죽을 고비를 넘기고 연못으로 돌아와 자기의 존재에 대해 깨닫는 이야기를 담고 있다.

107 프레드릭
레오 리오니/최순희 옮김

겨우살이 준비로 여념이 없는 다른 들쥐들과는 달리 프레드릭은 양식이 아니라 햇살, 색깔, 이야기를 모으느라 바쁘다. 시인 프레드릭을 통해 자기의 색깔과 주장을 가지고 살아가는 방법을 이야기한 그림책.

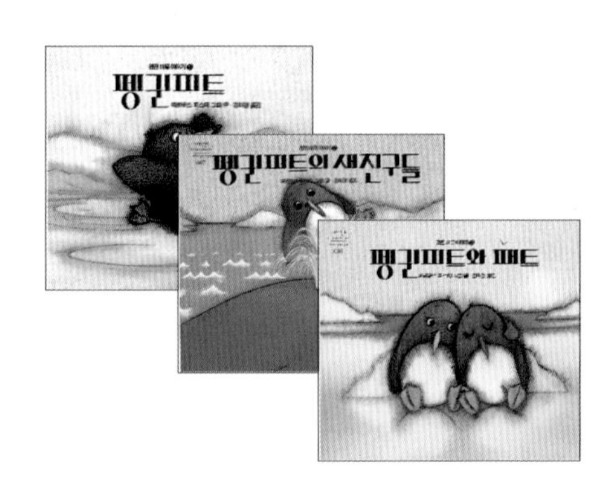

펭귄 마을 이야기
006 펭귄 피트
007 펭귄 피트의 새 친구들
008 펭귄 피트와 패트
마르쿠스 피스터/김미경 옮김

남극에 사는 꼬마 펭귄 피트가 혼자 힘으로 독립적인 존재로 성장해 가는 이야기. 펭귄 피트의 모험과 우정의 이야기를 아름답게 그리고 있다.